Comentarios de los niños para Mary Pope Osborne, autora de la serie “ La casa del árbol”.

Tus libros son tan interesantes que me hacen sentir dentro de ellos. K. C.

Las historias de Annie y Jack me gustan tanto que las llevaría conmigo a todos lados. Peter F.

Seguro que ya deben ser más de 200.000 las personas que adoran tus historias. Esther Mary D.

¡Por favor, sigue escribiendo estos libros por el resto de tu vida! Taylor C.

¡¡¡Tus libros son los mejores del universo!!! Danny Z.

¡¡¡Ojalá pudieras escribir miles y miles de libros más!!! Dylan H.

Estimados lectores:

Mientras pensaba en un nuevo tema para el libro número nueve, muchos niños insistían en que la próxima aventura de Annie y Jack transcurriera en el fondo del océano.

Pero, "¿cómo van a hacer para poder respirar debajo del agua?" me pregunté.

Después de pensar en la idea que me dieron los niños: recurrir a un submarino; investigando el tema descubrí que existían algunos submarinos más pequeños.

Así que aquí va mi agradecimiento a todos los niños que me ayudaron y me siguen ayudando. Siento que junto con todos ellos formamos parte de las aventuras de Annie y Jack.

¿Cuál será el próximo destino de los hermanos? ¿Qué creen que sucederá allí? Por favor, háganmelo saber.

La casa del árbol #9

Delfines al amanecer

Mary Pope Osborne
Ilustrado por Sal Murdocca
Traducido por Marcela Brovelli

LECTORUM PUBLICATIONS INC
a subsidiary of Scholastic Inc.
New York

Para Mattie Stepanek

DELFINES AL AMANECER

Originally published in English under the title
DOLPHINS AT DAYBREAK

This translation published by arrangement with Random House Children's Books, a division of Random House, Inc.

1-930332-96-3

Printed in the U.S.A.

10 9 8 7 6 5 4 3 2 1

Library of Congress Cataloging-in-Publication data is available.

ÍNDICE

1

Maestros bibliotecarios

Jack miró por la ventana de la cocina.

El sol todavía no había salido, pero el cielo había comenzado a aclarar.

Jack llevaba varias horas despierto. No podía dejar de pensar en el sueño que había tenido, el de Morgana le Fay.

—*La casa del árbol ha vuelto* —había dicho Morgana—. *Los espero.*

Jack deseaba que su sueño se hiciera realidad. Extrañaba a Morgana y a la casa del árbol.

—¡Vamos Jack! —Annie, su hermana, lo llamó desde la puerta—. ¡Tenemos que ir al bosque *ahora mismo*!

—¿Para qué? —preguntó Jack.

—¡Soñé con Morgana! Me dijo que la casa del árbol había regresado y nos estaba esperando —comentó Annie.

—Yo también soñé lo *mismo* que tú —agregó Jack.

—¡OOOOh! Si te lo dijo a ti también debe de tratarse de algo *importante*.

—Pero los sueños, sueños son —dijo Jack.

—Algunos sueños son más que eso. Y éste es especial —agregó Annie—. Lo sé, tengo un presentimiento. —Y abrió la puerta de la cocina—. ¡Te veré luego, Jack!

—¡Espera! ¡Espera! ¡Voy contigo! —gritó Jack. Y subió corriendo por las escaleras. "*Si los dos tuvimos el mismo sueño seguro que es por algo importante*", pensó.

Rápidamente, tomó su cuaderno y un lápiz y los guardó dentro de su mochila.

Luego bajó corriendo por las escaleras.

—¡Volvemos enseguida, mamá! —gritó hacia la sala de estar.

—Pero, ¿adónde van tan temprano? —preguntó su padre.

—¡Vamos a caminar un poco! —respondió Jack.

—Anoche llovió. No se mojen los zapatos —agregó su madre.

—Descuida, mamá.

Jack salió de la casa. Annie estaba esperándolo afuera.

—¡Vamos! —dijo ella.

Nubes grises cubrían el cielo. El aire se sentía fresco y renovado.

Annie y Jack corrieron por la calle silenciosa, hacia el bosque de Frog Creek.

Caminaron por entre los árboles hasta que, muy pronto, se toparon con el roble más alto del bosque. En la copa, estaba la casa del árbol.

—¡La casa del árbol ha regresado! —susurró Jack.

De repente, alguien se asomó por la ventana; una bella anciana de largo cabello blanco. Era Morgana le Fay.

—¡Suban! —dijo la misteriosa dama de los libros.

Annie y Jack treparon por la escalera de soga.

La luz del amanecer iluminaba la silueta de Morgana. Los niños se quedaron observándola. Llevaba puesta una túnica roja de terciopelo.

Jack se colocó los lentes. No podía dejar de sonreír.

—¡Mi hermano y yo soñamos contigo! —comentó Annie.

—Lo sé —respondió Morgana.

—¿Lo sabes?

—Sí, yo misma entré en sus sueños. Necesito que me ayuden.

—¿Qué clase de ayuda? —preguntó Jack.

—El mago Merlín sigue haciendo de las suyas. Así que no he podido reunir más libros para la biblioteca de Camelot.

—¿Quieres que lo hagamos por ti? —sugirió Annie.

—Sí, pero para reunir libros a través del tiempo deben convertirse en Maestros bibliotecarios —comentó Morgana.

—¡Qué lástima! —exclamó Annie, preocupada.

—Pero existe una forma de que lo *logren* —dijo Morgana—. Deben aprobar un examen.

—¿De veras? —preguntó Annie.

—¿Qué clase de examen? —insistió Jack.

—Deben demostrar que saben cómo llevar a cabo investigaciones y que pueden hallar las respuestas a preguntas difíciles —explicó Morgana.

—¿Cómo lo haremos? —preguntó Annie.

—Tienen que resolver cuatro acertijos —explicó Morgana. Luego, del interior de su túnica sacó un papel enrollado.

—El primer acertijo está escrito en este antiguo pergamino. Este libro les servirá para hallar la respuesta.

Morgana les mostró el libro. El título decía: "Manual del Océano".

—Tendrán que visitar las profundidades —aclaró Morgana.

—¡El océano! ¡Oh, Dios! —exclamó Annie mientras observaba la tapa del libro—. ¡Ojalá nosotros...!

—Un momento —dijo Jack tomándole la mano a su hermana—. ¿Cómo sabremos que hemos encontrado la respuesta correcta? —le preguntó a Morgana.

—Llegado el momento lo sabrán. Les aseguro que lo sabrán —agregó Morgana con voz misteriosa.

Jack soltó la mano de su hermana. Y ella, señalando la tapa del libro, terminó de expresar su deseo:

—¡Ojalá pudiéramos ir al océano!

De pronto, el viento comenzó a soplar.

—Morgana, ¿vienes con nosotros? —preguntó Jack.

Antes de que Morgana pudiera responder, la casa del árbol empezó a girar.

Jack se tapó los ojos.

La casa giró más y más rápido.

Luego, todo quedó en silencio.

Un silencio absoluto.

Jack abrió los ojos.

Morgana le Fay había desaparecido.

Sólo quedaban el antiguo pergamino y el Manual del Océano.

2

El arrecife

Una brisa serena entró por la ventana. Las gaviotas revoloteaban cerca de la casa.

Las olas bañaban la costa.

Annie tomó el pergamino y lo desenrolló. Ella y Jack lo leyeron juntos:

De aspecto soy muy corriente:
dura y gris como una roca.
Y aunque estoy muy escondida,
tengo una gran belleza interior.
¿Qué soy?

—¡Vamos a buscar la respuesta! —sugirió Annie.

Jack y su hermana se asomaron por la ventana. La casa del árbol ya no estaba en la copa del roble. Ahora estaba sobre la arena.

—¿Por qué el suelo es de color rosa? —preguntó Jack.

—No lo sé —respondió Annie—, pero voy a echar un vistazo.

—Primero voy a investigar un poco —comentó Jack.

Annie salió de la casa.

Jack tomó el manual y lo hojeó con cuidado, hasta que encontró un dibujo de una isla de color rosa. Debajo del dibujo decía:

Los corales son pequeños animales marinos. Cuando mueren, sus esqueletos permanecen en el lugar. Y con el paso del tiempo esos mismos esqueletos, unos sobre otros, van dando forma a los arrecifes de coral.

—¡Oh! ¡Esqueletos pequeños! —exclamó Jack mientras sacaba el cuaderno de la mochila. Tenía que anotar algo importante:

Millones de esqueletos de coral

—¡Jack! ¡Jack! ¡Ven a ver esto! —gritó Annie.

—¿Qué es?

—No lo sé. Pero te va a encantar.

Rápidamente, Jack guardó el cuaderno y el manual dentro de la mochila y salió por la ventana de un salto.

—¿Encontraste la respuesta a nuestro acertijo? —preguntó.

—No lo creo. No parece muy corriente —explicó Annie.

Estaba parada a la orilla del mar. A su lado, había una máquina muy extraña.

Jack se acercó corriendo para ver mejor.

Una mitad de la máquina estaba apoyada sobre el arrecife de coral y la otra, sobre el agua, de color azul claro. Ésta parecía una enorme burbuja blanca.

—¿Es una embarcación especial? —preguntó Annie.

Jack encontró el dibujo de la máquina en el Manual del Océano. Debajo decía lo siguiente:

Los científicos que estudian el océano se llaman oceanógrafos. A veces, para investigar la vida submarina, viajan a las profundidades dentro de naves llamadas sumergibles o mini submarinos.

—¡Es un mini submarino! —comentó Jack. Y sacó el cuaderno de la mochila.

—Veamos cómo es por dentro —sugirió Annie.

—¡No! —exclamó Jack. Aunque, en realidad, tenía muchas ganas de ver cómo era el submarino por dentro.

—No podemos entrar, no es nuestro —agregó, sacudiendo la cabeza.

—Sólo vamos a echar un vistazo —insistió Annie—. Tal vez podamos resolver el acertijo.

—Está bien —resopló Jack—. Pero debemos ser cuidadosos. No toques nada, Annie.

—Descuida, hermano.

—Ah, y quítate los zapatos para no mojarlos —insistió Jack.

Ambos se quitaron los zapatos y las medias y los arrojaron cerca de la casa del árbol.

Luego, cuidadosamente, atravesaron el arrecife de coral.

Annie bajó el picaporte del pequeño submarino y la puerta se abrió.

Ella y Jack entraron cuidadosamente. La puerta se cerró detrás de ellos.

El sumergible era pequeño. Tenía dos asientos que miraban hacia la gran ventana.

Y enfrente de éstos había una computadora con un panel de control.

Annie se sentó frente al panel.

Jack abrió el Manual del Océano y leyó un poco más acerca del submarino:

Los submarinos tienen fuertes cascos que sirven para guardar aire en su interior y proteger a la tripulación de la presión del agua. Las computadoras se utilizan para guiar al sumergible durante su trayecto.

—¡Huy! —exclamó Annie.

—¿Qué pasa? —preguntó Jack.

Annie agitaba las manos sin parar, observando la computadora. En la pantalla había aparecido un mapa.

—¡Dime qué pasa! —insistió Jack.

—Apreté unas teclas sin querer —respondió Annie.

—¡¿Qué?! ¡Te dije que no tocaras nada! —agregó Jack.

De pronto, un expulsor de aire se activó. Y el submarino se sacudió hacia atrás.

—¡Salgamos de aquí! —dijo Jack.

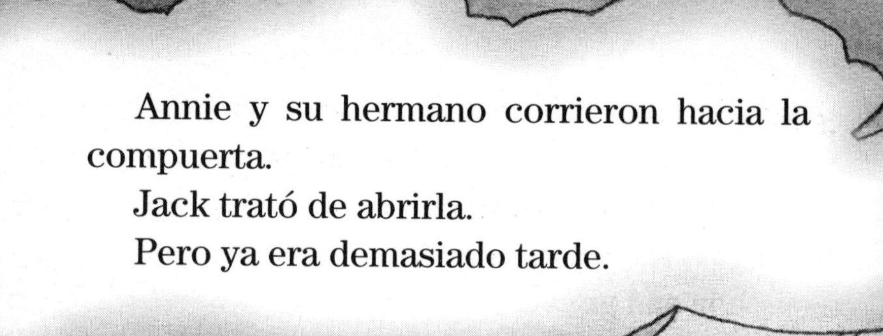

Annie y su hermano corrieron hacia la compuerta.

Jack trató de abrirla.

Pero ya era demasiado tarde.

El sumergible atravesó por entre el arrecife.

Luego, silenciosamente, comenzó a descender hacia el fondo del océano.

3

Mini submarino

—¡Ahora sí que te saliste con la tuya, Annie!

—Perdona. ¡Pero... mira por la ventana! ¡Mira, Jack!

—¡Olvídalo! ¡Primero tenemos que detener esta máquina!

Jack observó la computadora. En la pantalla vio una hilera de dibujos muy diminutos.

—¿Qué tecla presionaste, Annie?

—Yo sólo apreté la que dice "Encender". Después, la pantalla se encendió. Luego, apreté la tecla que tiene la estrella de mar —explicó Annie.

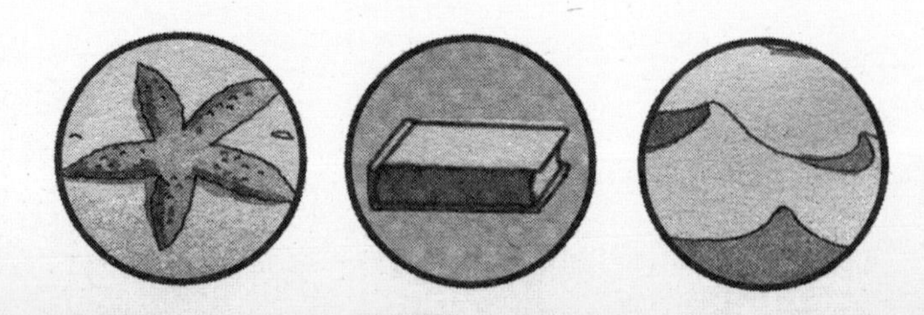

—Ése debe de ser el comando para que el submarino se sumerja —agregó Jack.

—Sí, porque después de eso en la pantalla enseguida apareció un mapa.

—Está bien. Está bien. En el mapa se ve el arrecife —aclaró Jack—. ¡Mira, también hay un submarino! ¡Y se está alejando del arrecife!

—Es como un juego de video —dijo Annie—. Te apuesto a que sé cómo hacerlo.

Y oprimió una tecla con una flecha que señalaba hacia la derecha. El submarino de la pantalla se movió en esa dirección. Al igual que el submarino verdadero.

—¡Fantástico! —exclamó Jack, aliviado—. Entonces la dirección de las flechas determina el curso del submarino. Así que ahora podremos regresar.

—¡Ay, no! ¿Por qué? ¡Es tan maravilloso estar aquí abajo, Jack!

—Pero tenemos que volver al arrecife

—insistió él, con los ojos pegados a la pantalla—. ¿Qué pasará si los dueños del submarino se dan cuenta de que éste no está donde lo dejaron?

—¡Mira por la ventana! ¡Sólo por un segundo! —insistió Annie.

Jack resopló resignado. Se acomodó los lentes y levantó la vista.

—¡Ay! —exclamó, casi sin aliento.

Más allá de la ventana había un mundo de figuras vivientes y de todos los colores.

Parecía una imagen de otro planeta.

El submarino ahora se desplazaba atravesando montañas de corales de color rojo, amarillo y azul, y cuevas y valles submarinos. Se veían peces de todos los tamaños y colores.

—¿No podemos quedarnos un poco más? La respuesta al acertijo de Morgana puede estar aquí abajo —dijo Annie.

Jack sacudió la cabeza lentamente. *"Tal vez esté en lo cierto"*, pensó. Además, ¿volverían a visitar un lugar así, alguna vez?

4

La ciudad de los peces

Había peces por todos lados: nadando por encima del submarino, alimentándose sobre la arena blanca, escondidos dentro de las cuevas de coral.

Algunos corales parecían enormes dedos azules y otros, enormes abanicos de encaje. Algunos, parecían cuernos de ciervo y otros, hojas de lechuga.

Jack abrió el manual:

Los arrecifes de coral sólo pueden hallarse en aguas tropicales. En los arrecifes de coral de los océanos Pacífico e Índico viven unas 5000 especies distintas de peces.

Jack sacó el cuaderno de la mochila, y comenzó a tomar nota de los datos más importantes.

<u>Arrecifes de coral—Investigación</u>
Agua cálida
Más de 5000 especies de peces

—¡Mira! —dijo Annie.

El submarino pasó junto a una estrella de mar gigante. Luego, junto a una medusa y un caballito de mar azulado.

Jack continuó con sus anotaciones:

Estrellas de mar
Medusas
Caballitos de mar

—¿Qué es *eso*? —preguntó Annie.

Jack vio una criatura que parecía una pizza gigante, pero con una larga cola.

—¡Es una *raya*! —dijo. Y tomó su cuaderno para agregarla a la lista.

—¿Y eso? —preguntó Annie.

Y señaló una concha gigante. La más grande que Jack hubiera visto jamás.

—Voy a tener que investigar algo acerca de esta criatura —agregó.

Y hojeó el manual en busca de información. Hasta que llegó a la página de las almejas:

La almeja gigante del arrecife de coral mide casi tres pies de ancho y puede alcanzar un peso de 200 libras.

—¡Guau! —exclamó Annie.

—¡Es increíble! —aclaró Jack mientras agregaba la almeja gigante a la lista.

—¡Delfines! —gritó Annie.

Jack alzó la vista. Del otro lado de la ventana los observaban dos delfines, con las narices pegadas al vidrio.

Con los ojos brillantes, parecía que sonreían.

Jack se rió:

—Es como si *nosotros* estuviéramos en una pecera y ellos nos estuvieran mirando —agregó.

—Sus nombres son Sam y Suki —explicó Annie—. Son macho y hembra, y son hermanos.

—¡Te has vuelto loca! —dijo Jack.

—¡Este beso es para ti, Suki! —dijo Annie.

Y apoyó los labios sobre la ventana, como si de verdad estuviera besando la nariz del delfín.

—¡Lo que faltaba! —exclamó Jack.

El delfín hembra abrió la boca y sacudió la cabeza, como si sonriera.

—¡Eh, Jack! ¡Ya tengo la respuesta al acertijo! Los delfines son grises y corrientes, pero tienen una gran belleza interior.

—Te olvidas de la parte que dice "dura como una roca". La piel de los delfines es suave y resbaladiza, hermana.

—Sí, tienes razón —contestó Annie.

Los delfines agitaron las colas y se alejaron en el agua azul clara.

—¡Esperen! ¡No se vayan! —gritó Annie—. ¡Suki!

Pero los delfines desaparecieron.

—Ya es hora de que nosotros también nos vayamos —insistió Jack. Tenía miedo de que los dueños del submarino comenzaran a buscarlo.

—Pero todavía no hemos resuelto el acertijo —se quejó Annie.

Jack se quedó contemplando el fondo del mar.

—No puedo ver la respuesta. No hay nada corriente ahí afuera —comentó.

—Entonces tiene que estar en el submarino —agregó Annie.

Ambos observaron el interior del sumergible.

—Voy a revisar la computadora —dijo Jack. Y estudió con cuidado la hilera de íconos de la pantalla.

Luego presionó el que tenía un libro.

De repente, en la pantalla aparecieron tres palabras que titilaban:

"DIARIO DE NAVEGACIÓN".

5

Dos ojos

—Jack, ¿qué es un diario de navegación?

—Es el relato día a día de un viaje por el océano.

Jack miró la pantalla de la computadora y comenzó a leer:

LUNES, 5 DE JULIO

—¡Un momento! 5 de julio fue la semana pasada —dijo. Y continuó leyendo.

RECOLECTAMOS MUESTRAS DE
PIEDRAS Y CONCHAS
DE MOLUSCOS

MAPEO DEL SUELO SUBMARINO
ENCONTRAMOS PEQUEÑA
GRIETA EN EL CASCO DEL
SUMERGIBLE

—Se parece a tu cuaderno —comentó Annie.

—Sí, sólo que el oceanógrafo escribía sus notas en la computadora —agregó Jack.

Annie y su hermano continuaron leyendo:

MARTES, 6 DE JULIO
GRIETA SE HA AGRANDADO
DEBEMOS REGRESAR
PRONTO AL ARRECIFE

—¡¿Una grieta?! ¿Dónde? —preguntó Annie.

—No lo sé —respondió Jack. Y continuó leyendo.

MIÉRCOLES, 7 DE JULIO
OTRAS GRIETAS PEQUEÑAS

IMPOSIBLE SU REPARACIÓN
HOY REGRESAMOS AL ARRECIFE

—¡Oh, oh! Esto me huele mal —comentó Annie. Jack continuó con la lectura.

JUEVES, 8 DE JULIO
SUBMARINO AVERIADO
REGRESO AL ARRECIFE
UN HELICÓPTERO LO
TRANSPORTARÁ A
UN DEPÓSITO

—Averiado significa roto, ¿verdad? —preguntó Annie.

—¡Sí! —contestó Jack.

—Entonces este submarino está roto, ¿no es así? —insistió Annie.

—Así es. Iba a ser llevado en helicóptero a un depósito —explicó Jack.

—¡Uf! —exclamó Annie.

—Ahora *sí* que tenemos que volver —dijo Jack.

—Probemos con el icono de las olas —sugirió Annie.

Poco a poco, el submarino comenzó a subir a la superficie.

—¡Ah, qué bueno! —exclamó Jack.

Y así fueron subiendo, atravesando montañas de coral, un banco de peces de colores y plantas acuáticas.

—¡Oh! —exclamó Annie.

Jack se quedó sin aliento.

Detrás de una planta submarina gigante se escondían dos enormes ojos, casi humanos, sólo que grandes como dos pelotas de golf, que observaban a Annie y a Jack.

El submarino avanzó dejando atrás la planta gigante. Jack suspiró aliviado.

—¡¿Qué?! ¡¿Cómo?! —chilló Annie.

—Mejor ni preguntes —dijo Jack.

Y volvieron la mirada hacia la planta gigante.

En ese instante, un brazo enorme salió de detrás de la planta.

Y luego otro, y otro, y otro más.

Y dos más, y por último otros dos más.

—Nos está siguiendo, Jack.

La criatura se desplazó lentamente, y en pocos segundos estuvo muy cerca del submarino.

6

Estamos en problemas

El pulpo abrazó al mini submarino con sus ocho brazos. Cada uno de ellos tenía dos hileras de ventosas, que se adhirieron fuertemente a la ventana.

De pronto, el submarino se detuvo.

El pulpo miró a Annie y a Jack con sus enormes ojos casi humanos.

—No creo que quiera hacernos daño. Sólo está curioseando —agregó Annie.

—Vo-Voy a investigar —comentó Jack.

Le temblaban las manos mientras hojeaba las páginas del manual.

Pero cuando vio el dibujo de un pulpo se detuvo de inmediato:

El pulpo es un animal amigable, una criatura asustadiza. Sin embargo, la curiosidad puede hacer que abandone su escondite.

—¿Viste? ¡Te dije que era tímido, Jack!

—¡Eh, hola! ¡Soy Annie! ¡Y él es Jack, mi hermano!

Jack continuó leyendo:

Estas criaturas poseen mucha fuerza. Cada uno de sus brazos, o tentáculos, tiene pequeñas ventosas en forma de taza que actúan como pequeños succionadores. Es casi imposible liberar un objeto de los potentes tentáculos de un pulpo.

—¡Fantástico! —exclamó Jack—. ¡Jamás nos liberaremos de esta cosa!

En ese momento, le cayó una gota de agua sobre el brazo; caía desde el techo.

—¡Oh, no! —exclamó Annie.

Una grieta delgada surcaba el techo, ramificada en varias grietas más pequeñas, por las que se colaban las gotas de agua.

—¡Encontramos las grietas! —dijo Annie.

—¡Será mejor que el pulpo nos libere antes de que el techo se rompa del todo! —agregó Jack.

—*¡Por favor*, deja que nos marchemos! —gritó Annie.

La criatura parpadeó un par de veces, como si pudiera entender las palabras de Annie.

—¡Por favor! ¡Déjanos ir! —insistió.

—¡Ay, Annie! ¡No es necesario que seas tan amable!

El pulpo dirigió su mirada a Jack.

—¡Vete de aquí! ¡Ahora mismo! ¡Lárgate! —insistió él.

La criatura lanzó un chorro de líquido negro y desapareció en medio de la oscuridad.

Lentamente, el submarino comenzó a subir a la superficie.

—Heriste sus sentimientos, Jack.

—No, no lo creo —contestó él, algo preocupado. Y se puso a leer el manual para sí:

Para escapar de sus enemigos el pulpo lanza un líquido de color negro similar a la tinta china. Uno de sus principales enemigos es el tiburón.

—¡Oh, no! —gritó Jack.

—¿Qué sucede? —preguntó Annie.

Jack miró por la ventana. La tinta negra se había disipado.

Pero una sombra extraña se acercaba al submarino.

—¿Qué es eso? —susurró Annie.

El pez era mucho más grande que los delfines. Y su cabeza tenía una forma *muy* extraña.

Jack sintió que se le paraba el corazón.

—¡Es un tiburón martillo! —dijo en voz baja—. Ahora sí que estamos en problemas.

7

Mantener la calma

El tiburón se escondió detrás del arrecife de coral.

—¿Adónde fue? —preguntó Annie mientras miraba por la ventana.

—Eso no importa. *Tenemos* que llegar a la superficie —comentó Jack.

—Mira la gotera, está entrando más agua —agregó Annie.

—Sí, ya lo sé. ¡Vamos! ¡Vamos! ¡A subir! —le ordenó Jack al submarino.

—Mira, Jack, cada vez entra *más* agua.

Jack miró hacia arriba. Ya no goteaba. Ahora el agua caía a borbotones.

—¡Vamos! ¡Sólo necesitamos unos pocos segundos! —suplicó.

De pronto, el pequeño submarino emergió a la superficie y quedó flotando sobre el agua como un corcho gigante.

—¡Estamos a salvo! —gritó Annie.

Jack notó que el agua le llegaba a los pies.

—Bueno, no exactamente —dijo Jack.

—¡Huyyy! —exclamó Annie—. El pulpo debe de haber roto la parte de abajo también.

Ahora el agua les llegaba casi a los tobillos.

Jack miró hacia fuera, y alcanzó a divisar el arrecife de coral.

—El submarino podrá lograrlo. No estamos tan lejos —agregó.

—¡Sí! *¡Vamos! ¡Vamos!* —gritó Annie.

Luego oprimió una de las teclas.

Y, de pronto, la pantalla se puso negra.

—¿Y ahora qué pasa? —preguntó Jack.

Annie volvió a oprimir la tecla. Luego, Jack oprimió otras más pero la pantalla seguía igual.

—Está muerta —comentó Annie.

—¡Lo que nos faltaba! —agregó Jack.

El agua ya les llegaba por las rodillas.

—Creo que vamos a tener que nadar —dijo Jack. Y tomó aire. Todo el que pudo cargar en sus pulmones.

—Parece que sí —asintió Annie—. Qué suerte que este varano fuimos a clases de natación, ¿no?

—Sí, tienes razón. Lo que no es una suerte es que nos hayamos topado con un tiburón —dijo Jack, mientras hojeaba el manual. Luego leyó en voz alta:

Si alguna vez te enfrentas con un tiburón, aléjate nadando lo más silenciosamente posible, ya que el ruido atraerá al pez.

Jack cerró el libro.

—Será mejor que nademos a braza, Jack.

—Sí, y manténte cerca de mí, por favor —contestó él.

—Estaré *muy* cerca, descuida —agregó Annie, con los ojos bien abiertos, aunque se la veía bastante serena.

Jack respiró profundo, tratando de mantener la calma. Se quitó los lentes, tomó el manual y guardó todo dentro de la mochila.

Annie abrió la compuerta.

—No te pongas nervioso —dijo Annie. Y salió del mini submarino.

—¡Allá voy! —dijo Jack, sereno, y tapándose la nariz, se metió en el mar.

8

¡Sálvese quien pueda!

Jack comenzó a desplazarse lentamente por el agua, moviendo brazos y piernas sin hacer demasiado ruido.

"*Tranquilo, tranquilo*", se decía a sí mismo.

Annie nadaba a su lado.

Todo estaba en calma.

De repente, Jack vio algo que se movía.

Una aleta oscura zigzagueaba sobre el agua. Y se aproximaba a ellos.

Jack tuvo el impulso de nadar más rápido. Quiso gritar. Pero recordó algo importante: "*Mantener la calma*".

"*Será mejor que no le diga nada a Annie, va a estar más tranquila*", pensó.

Y comenzó a nadar un poco más rápido. Y luego un poco más.

Ambos nadaban con velocidad, pero con calma.

A veces, Annie lograba alcanzar y dejar atrás a su hermano, obligándolo a nadar con más fuerza.

Jack estaba tan asustado que ni siquiera notaba el propio cansancio. Tenía que nadar para salvar su vida. Y también la de su hermana.

En ningún momento se viró para ver si el tiburón venía detrás de ellos. No quería saber.

Simplemente, mantenía los ojos clavados en la casa del árbol, que se veía a lo lejos.

Annie y Jack nadaron y nadaron sin detenerse.

A veces, parecía que la casa del árbol se veía cada vez más pequeña.

Jack notó que el arrecife estaba más lejos de lo que había pensado.

Siguió nadando, pero los brazos y las piernas ya le pesaban demasiado.

Annie luchaba a su lado.

—¡Flota, Jack!

Ambos se colocaron boca arriba, mirando el cielo, como les habían enseñado en la clase de natación.

"*Sólo descansaremos por un minuto, después seguiremos nadando*", pensó Jack.

Pero cuanto más flotaba, más cansado se sentía. Hasta que se sintió tan agotado que ya no podía flotar.

Y comenzó a hundirse.

En ese momento, sintió que algo le rozaba la pierna.

Se le paró el corazón. Algo le había dado un empujón.

Algo, suave y vivaz.

¿Era el tiburón martillo que, finalmente, los había alcanzado?

Jack cerró los ojos y esperó lo peor. Esperó y esperó.

Cuando abrió los ojos, se encontró con una cabeza de color gris. ¡Era la cabeza de un delfín!

El delfín empezó a empujar a Jack hacia la costa con la nariz.

—¡Hurra! —gritó Annie, sosteniéndose de una aleta gris.

Era otro delfín.

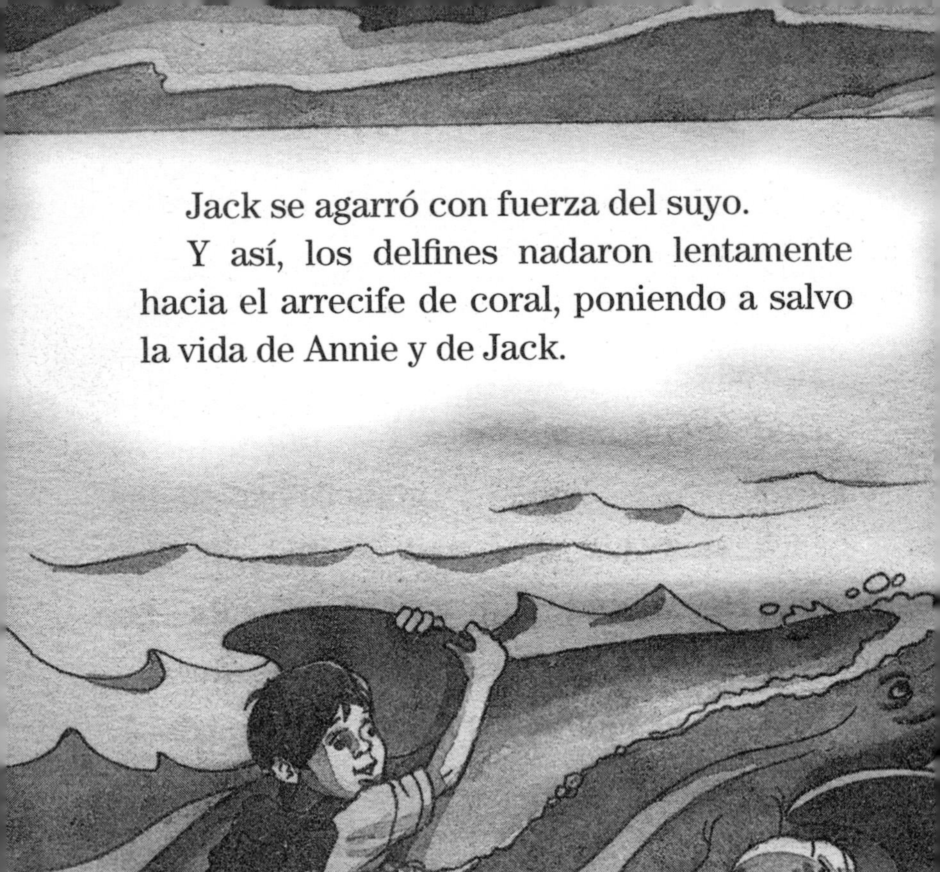

Jack se agarró con fuerza del suyo.

Y así, los delfines nadaron lentamente hacia el arrecife de coral, poniendo a salvo la vida de Annie y de Jack.

9

¡Ay!

El sol brillaba sobre el océano, como un diamante.

Jack se sintió a salvo. Su delfín lo estaba cuidando.

Los delfines aminoraron la marcha al acercarse al arrecife.

Jack sintió que los corales le acariciaban los pies. Recién cuando llegaron a la costa soltó la aleta del delfín.

Annie le dio un abrazo a su delfín salvador.

—¡Gracias, Suki! —Y le dio un beso en la nariz.

Suki sacudió la cabeza como si sonriera.

—¡Vamos, dale un beso a Sam! —insistió Annie.

—¿Te has vuelto loca? —preguntó Jack.

Pero Sam le dio un golpecito con el hocico en la cabeza a Jack y lo abrazó con las aletas.

Jack no pudo resistirse. Abrazó al delfín y le dio un beso.

Sam le respondió con un sonido como de risa, subiendo y bajando la cabeza.

Los dos delfines se miraron, intercambiaron sonidos entre sí y luego de mirar fijamente a Annie y a Jack se alejaron mar adentro.

—¡Adiós, Suki! ¡Adiós, Sam! —gritó Annie.

—¡Gracias! —agregó Jack en voz alta.

Los delfines se alejaron dando enormes volteretas en el aire, cayendo sobre el agua una y otra vez.

—Ojalá pudiéramos nadar así —dijo Jack. Y se quedaron mirando a los delfines hasta que se perdieron en la distancia.

—Siento que ya los extraño —agregó Annie.

—Yo también —comentó Jack. Y se sentó en la orilla.

—Estoy muy cansado.

—Yo también —dijo Annie mientras se sentaba a su lado.

El agua tibia les llegaba hasta el pecho.

Jack abrió la mochila y se puso los lentes que aún estaban mojados.

—Tengo que confesarte algo —comentó Annie de repente.

—¿Qué? —preguntó Jack.

—Mientras nadábamos vi al tiburón. Pero no te dije nada para que no te pusieras nervioso —agregó Annie.

Jack se quedó en silencio, mirando fijamente a su hermana.

—Yo también lo vi. Sólo que se me ocurrió nadar más rápido para que tú me siguieras.

—Y yo nadé más rápido para que *tú* también lo hicieras —agregó Annie.

Jack sacudió la cabeza confundido.

—¿Y ahora qué pasa? —preguntó Annie.

—Debemos regresar a casa —sugirió Jack.

—Pero todavía no hemos resuelto el acertijo de Morgana —insistió Annie.

Jack resopló con fastidio.

Y sacó el cuaderno de la mochila. Estaba todo mojado.

Luego sacó el Manual del Océano. También estaba mojado.

—Hemos fracasado —dijo Jack—. Todo mi trabajo de investigación se arruinó. Nunca nos convertiremos en Maestros bibliotecarios.

Y guardó todo en la mochila.

—Vamos, Annie —dijo Jack, con tristeza.

Se puso de pie y caminó hacia la casa del árbol atravesando el arrecife rosado. Annie lo seguía un poco más atrás.

—¡Ay! —gritó Annie.

—¿Qué sucede? —preguntó Jack, intrigado.

—He pisado algo raro —comentó Annie. Y se agachó para frotarse el pie.

—¿Qué es? ¿Una concha? —preguntó Jack.

—Sí, creo que sí. ¡Mira, es dura y gris como una roca! —afirmó Annie.

—*¡Y de aspecto muy corriente!* —murmuró Jack. ¡Habían encontrado la respuesta!

La concha se asemejaba a la de una almeja, sólo que más grande y con más ondulaciones.

—¿Cómo puede ser que *esta* concha tan horrible sea la respuesta a nuestro acertijo?

—preguntó Annie—. ¿Y la parte que dice acerca de la belleza interior?

—¡Espera! ¡La clave es la investigación! —irrumpió Jack al tiempo que abría el manual.

Las páginas estaban pegadas entre sí, pero pudo separar algunas de ellas, hasta que encontró un dibujo con una concha de color gris. Jack leyó en voz alta:

Generalmente, las ostras se encuentran en las aguas más profundas. Aunque a veces se las puede hallar en medio de arrecifes o en las playas. En su interior algunos de estos moluscos contienen una perla, considerada un tesoro por su belleza natural.

—¡Dentro debe de tener una perla! —afirmó Jack.

Annie miró por la rendija que había entre las dos partes de la ostra.

—¡No veo nada! —dijo—. Pero... ¿cómo hace la perla para meterse ahí adentro?

Jack continuó leyendo en voz alta:

A veces, cuando un grano de arena penetra en el interior de una ostra, ésta, al irritarse, se defiende generando un líquido nacarado para rodear al grano de arena, el que, con el paso de los años, se convertirá en una perla.

—No puedo darme cuenta si tiene una perla o no —dijo Annie.

—¿Y si la golpeamos contra una roca? —sugirió Jack.

—¡No! ¡Eso *irritaría* a la ostra! —dijo Annie.

—Sí, tienes razón.

—¿Por qué no la dejamos tranquila? —sugirió Annie.

Y colocó la ostra en el agua.

—¿Pero cómo sabremos si la *ostra* es la respuesta al acertijo? —preguntó Jack.

—Morgana dijo que lo descubriríamos —agregó Annie—. ¡Vamos!

Jack guardó sus lentes. Y recogió sus medias y sus zapatos. Annie hizo lo mismo.

En unos pocos segundos treparon a la casa del árbol.

El pergamino enrollado de Morgana estaba sobre el suelo.

Estaba abierto.

—¡Mira, Jack!

Annie y su hermano se quedaron mirando el pergamino. El acertijo se había esfumado.

En su lugar, había una palabra escrita en letras plateadas:

OSTRA

—Es la magia de Morgana —susurró Annie.

—Entonces, lo resolvimos —comentó Jack, aliviado.

—Y aquí está el libro de Pensilvania —dijo Annie—. Volvamos a casa.

Luego abrió el libro. Y señaló el dibujo del bosque de Frog Creek.

—¡Ahora queremos regresar a este lugar! —dijo Annie.

El viento comenzó a soplar.

La casa del árbol empezó a girar sobre sí misma.

El viento sopló más y más fuerte.

Después, todo quedó en silencio.

Un silencio absoluto.

10

El verdadero tesoro

La luz del amanecer entró por la ventana de la casa del árbol.

El tiempo no había pasado desde que Annie y Jack se fueron.

Jack enrolló el antiguo pergamino, y lo guardó en un rincón.

—Bueno, ya resolvimos el primer acertijo —dijo—. Ahora nos quedan tres.

—Por aquí no hay ningún otro pergamino —agregó Annie—. Tal vez, mañana conozcamos el segundo acertijo.

—De acuerdo —dijo Jack—. Creo que necesito descansar.

Todavía tenía la camiseta húmeda, al igual que la mochila. Sólo las medias y los zapatos estaban completamente secos.

—Esto también está mojado —dijo Annie, con el Manual del Océano en la mano. Y lo puso bajo los rayos del sol.

Annie y Jack bajaron por la escalera.

Caminaron por el bosque, entre las sombras de los árboles, entre los rayos dorados de sol.

Luego tomaron la calle de la casa.

—¿Sabes, Annie? Deberíamos haber resuelto el acertijo desde el principio. La ostra estaba entre los corales, en el arrecife.

—Lo sé. Pero no hubiera sido tan emocionante, Jack.

—¿Emocionante? ¿Te parece *emocionante* que te atrape un pulpo y te persiga un tiburón? —insistió Jack.

—¿Ya te olvidaste de los delfines? —preguntó Annie.

—Es verdad. Gracias a ellos todo valió la pena. *Eso* sí fue emocionante.

—Creo que el verdadero tesoro son ellos, no la perla que encontramos —agregó Annie.

—Sí. Me pregunto qué estará haciendo Sam en este momento —comentó Jack.

—¿Sam? —preguntó Annie, con una sonrisa de oreja a oreja—. ¿Te has vuelto loco?

Ambos subieron los escalones del porche y entraron en la casa.

—Ya llegamos —gritó Annie.

—¿Se mojaron los zapatos? —preguntó su madre.

—Para nada —respondió Jack, mientras él y su hermana subían a sus cuartos para cambiarse la ropa.

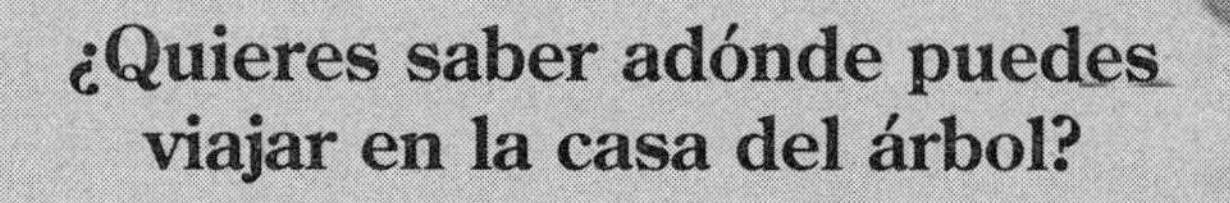

¿Quieres saber adónde puedes viajar en la casa del árbol?

La casa del árbol #1
Dinosaurios al atardecer
Jack y Annie descubren una casa en un árbol y al entrar, viajan a la época de los dinosaurios.

La casa del árbol #2
El caballero del alba
Annie y Jack viajan a la época de los caballeros medievales y exploran un castillo con un pasadizo secreto.

La casa del árbol #3
Una momia al amanecer
Jack y Annie viajan al antiguo Egipto y se pierden dentro de una pirámide al tratar de ayudar al fantasma de una reina.

La casa del árbol #4
Piratas después del mediodía
Annie y Jack viajan al pasado y se encuentran con un grupo de piratas muy hostiles que buscan un tesoro enterrado.

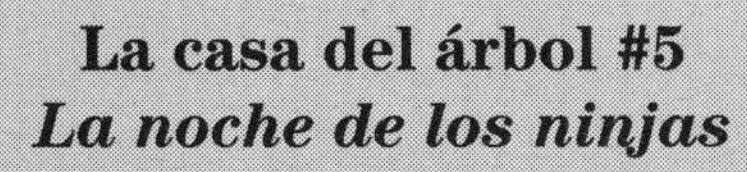

La casa del árbol #5

La noche de los ninjas

Jack y Annie viajan al antiguo Japón y se encuentran con un maestro ninja que los ayudará a escapar de los temibles samuráis.

La casa del árbol #6

Una tarde en el Amazonas

Annie y Jack viajan al bosque tropical de la cuenca del río Amazonas y allí deben enfrentarse a las hormigas soldado y a los murciélagos vampiro.

La casa del árbol #7

Un tigre dientes de sable en el ocaso

Jack y Annie viajan a la Era Glacial y se encuentran con los hombres de las cavernas y con un temible tigre de afilados dientes.

La casa del árbol #8

Medianoche en la Luna

Annie y Jack viajan a la Luna y se encuentran con un extraño ser espacial que los ayuda a salvar a Morgana de un hechizo.

PAUL COUGHLIN

Mary Pope Osborne ha recibido muchos premios por sus libros, que suman más de cuarenta. Mary Pope Osborne vive con Will, su esposo, en la ciudad de Nueva York, y con su perro Bailey, un norfolk terrier. También tiene una cabaña en Pensilvania.